# MIS PRIMERAS PÁGINAS

Título original: *Le stagioni nella palude*


© Silvia Vignale
© Edizioni EL, 1995 (obra original)
© Hermes Editora General S. A. - Almadraba Editorial, 2009
www.almadrabaeditorial.com
© Clara Vallès, por la traducción del italiano


Impreso el mes de febrero de 2009

ISBN: 978-84-9270-228-2
Depósito legal: B-10570-2009
Impresión: GRABASA
Printed in Spain

# LAS ESTACIONES EN EL ESTANQUE

Silvia Vignale

ES PRIMAVERA.

LA RANA IVANA
ESTÁ CONTENTA
Y TIENE MUCHAS GANAS
DE SALTAR.

EL SAPO PABLO LE DICE:
«¿QUIERES VENIR A CENAR
CONMIGO, ESTA NOCHE?».

IVANA ESTÁ EMOCIONADA.

IVANA Y PABLO CENAN
EN EL RESTAURANTE
«LA LUCIÉRNAGA DE ORO».

UN GRILLO TOCA EL VIOLÍN.

# ¡LLEGA EL VERANO!

IVANA TOMA EL SOL
CON SU AMIGA,
LA OCA ALBERTA.

EN VERANO
HACE MUCHO CALOR.

A TODOS LOS ANIMALES
LES GUSTA BAÑARSE
EN EL AGUA DEL ESTANQUE.

EL VIENTO SE LLEVA
LAS HOJAS
DE LOS ÁRBOLES.

LAS HOJAS SE HAN VUELTO
AMARILLAS, ROJAS
Y MARRONES.

IVANA PIENSA:
«¡HA LLEGADO EL OTOÑO!».

# EN OTOÑO,
# LA ARDILLA MARÍA

HACE UNA BUENA PROVISIÓN
DE NUECES Y CASTAÑAS.

MARÍA PREPARA
UN PASTEL DE NUECES
Y MERMELADA DE CASTAÑA.

¡ESTÁ NEVANDO!

IVANA NO HA VISTO
NUNCA LA NIEVE.

IVANA PIENSA:
«¿QUÉ SABOR TENDRÁ?».

BRRR… EL AGUA
DEL ESTANQUE
ESTÁ MUY FRÍA.

EL PATO FIDEL DICE:
«¡YA HA LLEGADO
EL INVIERNO!».

EL PATO FIDEL DICE:
«¡HASTA PRONTO, ME VOY
A UN PAÍS MÁS CÁLIDO!».

IVANA SE DESPIDE
DE FIDEL:
«¡HASTA PRONTO,
NOS VOLVEREMOS
A VER EN PRIMAVERA!».

IVANA PIENSA:
«¡ME ECHARÉ
UNA BUENA SIESTA
DURANTE TODO
EL INVIERNO!».

...¡Y AHORA, A JUGAR!

ES PRIMAVERA.
¿CUÁNTOS ANIMALES
Y CUÁNTAS FLORES HAY
EN EL JARDÍN DE ALBERTA?

RODEA LOS OBJETOS
QUE IVANA UTILIZA
EN VERANO.

MARÍA HA PREPARADO
SEIS TIPOS DE MERMELADAS
CON FRUTAS DE VERANO
Y DE OTOÑO.

¿CUÁLES SON LAS FRUTAS
DE VERANO?

¿Y CUÁLES SON LAS FRUTAS
DE OTOÑO?

PERAS Y CASTAÑAS SON FRUTAS DE OTOÑO.
DE VERANO.
ALBARICOQUES, MELOCOTONES, FRESAS Y CEREZAS SON FRUTAS

ES OTOÑO. CAEN LAS HOJAS.

¿CUÁNTAS HOJAS DE TILO
VES EN EL DIBUJO?

¿CUÁNTAS DE ROBLE?

¿CUÁNTAS DE CASTAÑO?

HOJA DE TILO

HOJA DE ROBLE

HOJA DE CASTAÑO

# MIS PRIMERAS PÁGINAS